Een kind met koliek

Ds. Hasperschool

Boarnsterdyk 10
8491 AV Akkrum
Tel. 0566 - 651464

Stasia Cramer

Een kind met koliek

tekeningen van Ina Hallemans

Zwijsen

Saltologo's en schutbladen: Jürg Furrer
Omslagontwerp: Rob Galema (Studio Zwijsen)

STICHTING NEDERLANDSE
KINDERJURY
1997

ꞥvi⑤

Boeken met dit vignet zijn op niveaubepaling geregistreerd en
gecontroleerd door het KPC te 's-Hertogenbosch.

1 2 3 4 5 / 00 99 98

ISBN 90.276.3562.5
NUGI 220

© 1996 Tekst: Stasia Cramer
Omslag en illustraties: Ina Hallemans
Uitgeverij Zwijsen Algemeen B.V. Tilburg

Voor België:
Uitgeverij Infoboek N.V. Meerhout
D/1996/1919/137

Op het strand

„Wie het eerst bij de strandtent is?"
Minke wacht niet tot Romy antwoord geeft.
Ze laat haar pony Wapje in galop overgaan.
Romy spoort Ploos ook aan.
Al snel rijden ze naast elkaar.
Het is niet ver tot de strandtent.
Minke laat Wapje nog harder lopen.
Ze wint de race.
„Het is niet eerlijk," zegt Romy.
„Jij had een voorsprong."
Minke lacht en Romy lacht mee.
Het maakt niet uit, denkt ze.
De volgende keer win ik.

Minke en Romy stappen terug naar de stal.

De manege is vlak achter de duinen.

De hele weg terug praten ze met elkaar.

Over de pony's, over school, over thuis.

Ineens bedenkt Romy iets.

„Krijg ik het stenen paardje gauw terug?" vraagt
ze.

Romy heeft van haar oma een stenen paardje
gekregen.

Op de dag dat ze acht jaar werd.

Het is een wit paard dat steigert.

Het beeldje staat meestal op haar bureau.

Maar nu heeft Minke het geleend.

Ze wil het beeldje tekenen.

Minke heeft Romy ook een tekening beloofd.

Maar Romy wil het beeldje weer snel terug.

Als ze het paardje ziet, denkt ze aan oma.

Een maand nadat ze het beeldje kreeg, is
oma gestorven.

Eerst was oma een beetje ziek.

Daarna werd ze dunner en dunner.

En ze verloor ineens veel haar.

In de kist had ze een pruik op.

Toen was ze oma niet meer, vond Romy.

Daar moest ze lang om huilen.

Romy is heel zuinig op het beeldje van oma.
Toen oma het gaf, zei ze:
„Dit beeldje is heel oud.
Het is van marmer gemaakt.
Marmer is heel hard steen.
Toch kan het beeldje wel breken.
Kijk dus maar goed uit!"

Romy wilde liever niet dat Minke het
beeldje zou lenen.
Maar Minke is haar beste vriendin.
Als zij iets wil lenen, dan moet het maar.
Minke kijkt vast goed uit met het paardje.
„Je krijgt het straks terug," zegt Minke.

Ze komen bij de manege aan.
„Eerst zijn benen afspuiten," zegt Minke.
Ze stapt van Wapje af.
Romy spoelt het bit van Ploos' hoofdstel af.
„Morgen hebben we toch springen?" vraagt ze.
„Ja," zegt Minke.
Romy begint te lachen.
Leuk, springen.
Het beeldje is ze even vergeten.

Ista komt logeren

De moeder van Minke haalt Romy en Minke op.
Romy woont twee straten van Minke vandaan.
Al snel zijn ze bij het huis van Romy.
„Kom je me morgen halen?" vraagt Minke.
Op zaterdag gaan ze altijd samen op de fiets naar
de pony's.
De ene week hebben ze springles, de andere
week dressuur.
„Morgen hebben we toch springen?" vraagt
Romy.
„Ja," zegt Minke.
Romy vindt springen erg spannend.
De kans om te vallen is groot.
Soms wil Ploos niet springen.
Dan stopt hij net voor de hindernis.
Zeker weten dat ze er dan af ligt.
„Goed, ik kom je morgen halen," zegt Romy.
„Ista komt logeren," zegt de moeder van Minke.
„Dan is het niet leuk als je gaat rijden."
„Maar voor Wapje is het erg als ik níet kom,"
zegt Minke.
„Dan staat hij de hele dag op stal!
Als een pony lang stilstaat, krijgt hij koliek."

Romy knikt.
Een pony moet elke dag lopen.
Daar moet zijn baasje echt voor zorgen.
Als hij lang stilstaat, raken zijn darmen verstopt.
Dan krijgt hij erge buikpijn.
„Vraag of Ista meegaat," zegt Romy.
„Dan gaan we met z'n drieën."

Romy weet dat Ista het nichtje van Minke is.
Minke heeft haar veel over Ista verteld.
Elke zomer gaat ze bij haar nicht logeren.

Dan halen ze samen kattenkwaad uit.
Vorig jaar ook.
Toen hebben ze een dode spin in het bed van
Ista's broertje gelegd!
Romy wil Ista wel eens zien.
„Kan Ista ook rijden?" vraagt ze.
„Nee," zegt Minke.
„Maar ze houdt wel van pony's."
Romy stapt uit de auto.
„Tot morgen dan. Dag Minke.

Dag mevrouw De Gooy."
Ze zwaait de auto na.
Oh, denkt ze.
Ik had beter met Minke kunnen meegaan.
Dan had ik het stenen paardje kunnen
meenemen.
Nou ja, morgen dan maar.
Een dag meer maakt niet zoveel uit.

Monopoly

Het is zaterdag.
Romy staat voor de deur van Minke.
Het is nog vroeg.
De springles is pas over een paar uur.
Misschien kunnen we eerst spelen, heeft Romy
bedacht.
Leuk, met Ista erbij.
Romy belt aan en Minke doet open.

Minke begint raar te lachen.
Ze roept: „Haha, je paardje is stuk."
Romy weet niet wat ze moet zeggen.
Wat doet Minke gek.
Is het stenen paardje stuk?
Daar mag Minke toch niet om lachen?
Romy snapt er niets van.
Ze volgt Minke de gang door.
Waar is het paardje?
Wat is er stuk?

Ista is in de kamer.
Ze zit op de grond.
Naast haar ligt het spel monopoly.
Romy kent het goed.
Ze speelt het vaak met Minke.
„Jammer van je paardje, haha," zegt Ista.
Nu wordt Romy boos.
Twee tegen een, dat is gemeen.
Zij heeft toch niets verkeerd gedaan?
Zou het paardje van oma echt stuk zijn?
„Waar is het paardje?" vraagt ze aan Minke.
Minke loopt naar de kast.
Ze pakt een doosje en geeft het aan Romy.
In het doosje ligt het paardje.

16

Een voorbeen is gebroken.

De staart is eraf.

„Ik zal hem lijmen," zegt Minke.

„De staart en het voorbeen liggen boven.

In de la van mijn bureau.

Naast de lijm.

Morgen heb je je paardje terug, haha."

Romy kan wel huilen.

Om het paardje dat stuk is.

Om Minke die zo raar doet.

Om oma die weg is.

Maar ze houdt haar tranen in.

„Nou, doe je mee?" zegt Ista.

„Anders gaan Minke en ik samen door."

Ista zit nog steeds op de grond.

Voor haar ligt het spel monopoly.

Ze pakt de dobbelsteen van het bord.

„Jij bent, Romy.

Ga maar zitten en gooi de dobbelsteen."

Romy weet niet wat ze moet doen.

Ze wil liever weg, naar huis.

Maar ze gaat toch op de grond zitten.

Ze krijgt geld om mee te spelen.

Minke en Ista hebben al veel straten.

17

Romy komt op een straat van Minke.

„Die is van mij, geef maar geld," zegt Minke.

Ze pakt het geld zomaar bij Romy weg.

Een beurt later is Romy weer de klos.

„Haha, nu kom je op mijn straat," roept Ista.

„Je bent al bijna blut," zegt Minke.

„Dit is niet eerlijk," zegt Romy.

„Jullie hadden al straten.

Zo vind ik er niets aan."

„Je kunt niet tegen je verlies," zegt Ista.

Ze jouwt Romy uit met haar vinger.

„Romy heeft geen geld meer.

Romy gaat verliezen."

Minke doet met haar nicht mee.

Ze steekt ook haar vinger naar Romy uit.

Ze zingt mee: „Romy heeft geen geld meer,

Romy gaat verliezen."

Romy heeft zich nog nooit zo rot gevoeld.

„Ik ga naar de manege," zegt ze.

„Doei," zeggen Ista en Minke.

Ze kijken niet op.

Ze spelen gewoon door.

Alsof Romy niet bestaat.

Romy rent naar buiten.

Ze knalt de deur achter zich dicht.

Er rolt een traan over haar wang.
Waarom is Minke zo anders?
Ze is toch haar beste vriendin?
Heeft zij het beeldje gebroken of Ista?
Per ongeluk of expres?

Alleen en bang

Romy pakt haar fiets.
In haar eentje rijdt ze naar de manege.
Romy is bang alleen.
Ze komt langs de boerderij met de valse hond.
Daar komt hij al aan.
Hij komt grommend op haar af.
Romy trapt zo hard mogelijk door.
De hond holt achter haar aan.
Hij probeert in haar kuit te happen.
Romy trapt nog harder.
Ze is bijna bij de hoek.
Verder gaat de hond nooit.
Anders kan hij het erf niet in de gaten houden.
Nu moet Romy door de duinen fietsen.
Omhoog en omlaag, tegen de wind in.
Overal zijn struiken langs het pad.
Samen met Minke is Romy hier niet bang.
Soms gilt Minke expres.
Dan schrikt Romy zich altijd rot.
Komt er een monster uit de bosjes?
Nee hoor, het is een grap van Minke.

Romy begint hard te zingen.

Dat heeft oma tegen haar gezegd.
„Als je bang bent, ga je gewoon zingen.
Heel hard zingen.
Iemand die hard zingt, lijkt niet bang.”
Maar Romy is veel banger dan oma.
Oma fietste altijd alleen door de duinen.
Elke zaterdag kwam ze kijken naar de les.
Vaak zei ze: „Was ik maar tien jaar jonger.
Dan wist ik het wel.
Dan nam ik ook paardrijles.
Vooral springen lijkt me het einde.”
Oma nam altijd iets mee voor Ploos en Wapje.
Een paar wortels of snoepjes.
Ook voor Minke en Romy had ze altijd wat bij
zich.
Warme thee in de thermoskan in de winter.
Een blikje cola uit de koelbox in de zomer.
Vaak ook een mand vol broodjes en koek.
Dan hadden ze een picknick op het strand met
z'n drietjes.

Romy veegt de tranen van haar wangen.
Ze moet zo vaak huilen als ze aan oma denkt.
Een stuk voor haar rijden mensen.
Een vader, moeder en twee kinderen.

Romy trapt hard door.

Ze gaat achter de moeder rijden.

Nu is het net of ze bij het gezin hoort.

Zo voelt ze zich weer veilig.

Oh, gelukkig, denkt ze.

Daar is de manege al.

De val

Romy legt het zadel op Ploos' rug.
Ze heeft haar pony al gepoetst.
Zijn hoeven zijn uitgekrabd.
De springles begint zo.
Minke is er nog niet.
Ze zal wel niet meer komen.
Romy haalt de singel onder de buik van Ploos
door.
Ze trekt de riem strak aan.
Ploos zet zijn buik op en hapt naar Romy.

Romy geeft hem een flinke tik.

„Foei, Ploos, doe niet zo stom."

Ploos schrikt van de tik en Romy ook.

Ze heeft Ploos nog nooit geslagen!

„Sorry Ploos," zegt Romy.

Ze aait haar pony over zijn hals.

Maar Ploos kijkt boos de andere kant op.

Hans is de instructeur.

Hij geeft iedere zaterdag les.

„Je let niet op," zegt Hans tegen Romy.

„Jij bent aan de beurt.

Wend maar af bij C en kom naar de hindernis."

Ploos stormt op de sprong af.

Hij weet dat hij goed kan springen.

„Kalm aan," zegt Hans.

Maar Ploos is al over de hindernis heen.

Hij blijft in galop gaan.

„Houd hem in, Romy," zegt Hans.

Romy trekt aan de teugels, maar niet hard
genoeg.

Ploos gaat steeds sneller lopen.

„Maak maar een grote volte," zegt Hans.

„Dan gaat hij vanzelf zachter."

Romy laat Ploos in een cirkel rijden.

Al snel gaat hij over in draf.

„Jij bent weer aan de beurt, Romy," zegt Hans
even later.
„Nu moeten jullie over de tweesprong.
Maar kijk uit.
Laat hem niet te hard gaan."
Ploos wil weer keihard rennen.
Romy trekt aan de teugels.
Ploos schudt wild met zijn hoofd.
Hij trekt zich niets van Romy aan.
Hij gaat juist nog harder.
De eerste sprong gaat nog goed.
Ploos springt er schuin overheen.
Bij de tweede sprong komt hij niet goed uit.
Eerst is het net of Ploos niet wil springen.
Romy schiet helemaal naar voren.
Dan maakt Ploos ineens een enorm grote sprong.
Romy komt los van het zadel.
Haar voeten zijn uit de beugels.
Ze heeft de teugels niet meer goed vast.
Als Ploos neerkomt, rent hij weg.
Romy valt met haar gezicht in het zand.
„Trakteren," zegt Hans.
Hij heeft al gezien dat Romy niet gewond is.

Arme Wapje

Ook op zondag rijdt Romy alleen.
Ze heeft thuis lang op Minke gewacht.
Op zondag brengt de moeder van Romy hen naar
de pony's.
Romy's moeder heeft naar Minke gebeld.
„Minke komt niet," heeft haar moeder gezegd.
Omdat Ista er is.
Ze zijn samen aan het spelen.

Romy durft niet met Ploos naar buiten.
Ze is een beetje bang na de val.
Ze rijdt op hem in de manege.
Wapje kijkt haar een beetje zielig na.
Hij hinnikt zachtjes.
Gisteren heeft hij niet gesprongen.
Moet hij vandaag ook op stal blijven?
Stomme Minke, denkt Romy, arme Wapje.
Als Wapje niet loopt, krijgt hij koliek.
Zie je wel, hij kijkt al naar zijn buik.
Dat is het begin van koliek.
Dat komt ervan als je een pony in de steek laat.
Maar Romy laat Wapje heus niet in de steek.
Na het rijden laat ze Wapje los.

Hij mag even in de buitenbak rennen.
Romy blijft erbij staan.
Ze hoopt dat er niets ergs gebeurt.
Wapje doet zo gek!
Hij rent door de bak.

Bij het hek stopt hij ineens.

Dan bokt hij een paar keer.

En hij hinnikt vrolijk.

Ineens gaat hij weer over in galop.

Hij springt toch niet over het hek?

Net voor het hek stopt hij weer.

Even later doet Romy Wapje zijn
halster weer om.

De witte pony kijkt nu veel blijer.

Romy zet Wapje terug op stal.

Wapje en Ploos staan naast elkaar in een stand.

Op de grond ligt een dikke laag stro.

Tussen hen in hangt een balk.

Wapje is helemaal wit en Ploos zwart.

Maar ze zijn allebei even mooi, vindt Romy.

Ploos weet dat hij iets lekkers krijgt voordat
Romy weggaat.

Hij kijkt haar vrolijk aan met zijn grote, bruine
ogen.

Met zijn hoef schraapt hij over de grond.

Dan begint hij zacht te hinniken.

Romy breekt de appel in twee delen.

Snel geeft ze Ploos een halve appel.

Wapje wordt een beetje boos.

Krijgt hij niets?
Hij schudt met zijn hoofd op en neer.
Hij is net een jaknikker.
Dan krijgt ook Wapje zijn deel.
„Ik laat jou niet in de steek, hoor," zegt Romy.

Een kind met koliek

Het is maandag.
Romy moet zo weer naar school.
Maar ze wil liever thuisblijven.
„Neem nog een boterham," zegt moeder.
„Ik heb geen trek," zegt Romy.
„Maar kind, je hebt er maar één op.
Normaal eet je er drie.
Nou vooruit, je mag er nog één met zoet."
„Ik hoef echt niet meer," zegt Romy.
„Ben je ziek?" vraagt moeder.
Romy schudt haar hoofd.
„Wat is er dan met je?
Je kijkt zo verdrietig.
Is er iets?"
Weer schudt Romy haar hoofd.
Ze wil haar moeder vertellen over Minke.
Over Minke en Ista, die zo raar hebben gedaan.
Over het stenen paardje, dat stuk is.
Dat ze alleen heeft gefietst.
Dat ze bang is alleen.
Dat ze oma zo mist.
Maar Romy zegt niets.
Ze kan gewoon niets zeggen.

Dus gaat ze toch maar naar school.

Bijna komt Romy te laat.
Ze heeft heel langzaam gelopen.
Alle kinderen zitten al op hun plaats.
„Net op tijd," zegt de juf.
„Ga maar gauw naar je plaats."
„Mag ik daar zitten?" vraagt Romy.
Ze wijst een lege stoel aan, ver van Minke
vandaan.
„Hebben jullie ruzie?" vraagt de juf.
„Nee hoor," zegt Romy.
Ze loopt snel naar de lege plaats.
Alle kinderen kijken haar na.
Alleen Minke kijkt niet.

De les begint.
Romy let niet goed op.
Dat kan ze niet.
Ze heeft pijn in haar buik.
In de pauze gaat ze op een bankje zitten.
Alle kinderen spelen en lachen.
Zij zit alleen op het bankje.
Ivar komt naar haar toe.
Hij vraagt: „Doe je mee?"

„Nee," zegt Romy.

„Ik eh, ik heb koliek."

Romy probeert te lachen om haar eigen grapje.

Maar de enige die lacht is Ivar.

Even later komt Feyza naar haar toe.

Ze kijkt ernstig en vraagt:

„Heb je koliek?

Dat lijkt me heel erg.

Zal ik de juf roepen?"

„Nee hoor," zegt Romy.

Ze probeert weer te lachen.

Ze wil zeggen: „Het is maar een grap.

Het bestaat niet eens, een kind met koliek!"

Maar Romy kan weer niets zeggen.

Feyza gaat de juf toch halen.

Ze staan allemaal om haar heen.

Een kind met koliek!

Dat is vast heel erg.

Minke zit aan de overkant van het schoolplein.

Zij zit daar alleen.

Alle kinderen zijn bij Romy.

„Zal ik je naar huis brengen?" vraagt Feyza.

Ineens begint Romy te huilen.

„Ga maar met haar mee, Feyza," zegt de juf.

„Romy kan maar beter naar huis gaan.
Koliek is een ernstige zaak."
Feyza brengt Romy thuis.
Romy's moeder stopt haar onder de wol.
Ze krijgt een warme kruik tegen haar buik.
Dat is goed tegen de koliek.
Moeder geeft Romy een zoen op haar wang.
„Ga maar lekker slapen," zegt ze.

Bezoek

Romy wil wel slapen, maar het lukt niet.
Ze denkt aan het stenen paardje, dat stuk is.
Ista heeft het vast stukgemaakt.
Zoiets doet Minke niet.
Maar waarom deed Minke dan zo stom?
Waarom lachte ze om het paardje?
Romy kan maar beter niet aan Minke denken.
Maar dan denkt ze weer aan oma.
Oma, die nooit meer terugkomt.
Als de tranen komen, doet Romy haar ogen dicht.
Romy denkt nu aan de klas.
De school is uit.
Ivar zal zo wel komen, of Feyza.
Er wordt al gebeld.
„Bezoek voor je," roept moeder.
De deur gaat open en ... daar is Minke.
Romy slikt een paar keer.
Ze weet niets te zeggen.
„Hier is de tekening," zegt Minke.
„Ik heb hem speciaal voor jou gemaakt."
Minke heeft het stenen paardje getekend.
Voordat het stuk was, natuurlijk.
Om de tekening zit een lijstje.

„Dank je," zegt Romy.

Dan weet ze weer niet wat ze moet zeggen.

Minke geeft haar een pakje.

„Hier is je paardje," zegt ze.

„Ik heb het gelijmd.

Je ziet er niets meer van.

En je krijgt ook mijn beeldje."

Romy opent het pakje.

Ze kan niet zien dat het paardje is gelijmd.

Minke heeft het heel mooi gemaakt.

Het andere beeldje is een wit veulen.

Minke heeft het van haar zakgeld gespaard.

Romy weet hoe mooi Minke het veulen vindt.

„Dank je," zegt ze.

„Maar waarom moest je zo met Ista lachen?

Je lacht toch niet als er iets stuk is?"

Minke gaat op de rand van het bed zitten.

„Ista zei dat ik erom moest lachen.

Dat jij het dan niet erg zou vinden.

Het lijmen was heel moeilijk.

Ista heeft niet eens geholpen.

Ik vond het zo erg voor je.

Het spijt me zo."

Romy gaat rechtop in bed zitten.

De buikpijn is ineens weg.

„Zullen we gaan rijden?" vraagt ze.
Ze springt uit bed.
Haar moeder komt binnen.
„Ik ben beter, mam," zegt Romy.
„We gaan naar de manege, hoor."
Moeder vindt het goed.
„Ik breng jullie wel even," zegt ze.

„Tot de strandtent?" vraagt Romy.
Door de duinen hebben ze gedraafd.
Romy wil nu wel wat harder.
Ze is ineens niet bang meer.
Ze spoort Ploos aan tot galop.
En ze begint luidkeels te zingen.
„Wacht op mij," roept Minke.
Ook Wapje galoppeert nu.
Ze komen precies gelijk aan bij de strandtent.
„Jij hebt gewonnen," zeggen ze in koor.

Salto

In de serie zijn tot nu toe verschenen:

1. Dinie Akkerman:
   Blote voeten
2. Ienne Biemans:
   Het Akke-Takke-kistje
3. Wim Burkunk en Mieke Geurts:
   Help, de school is weg!
4. Wim Burkunk en Mieke Geurts:
   Hoera, ik ben dom!
5. Wim Burkunk en Mieke Geurts:
   Hoe het komt dat de aap zo bang is
6. Stasia Cramer:
   Een kind met koliek
7. Maria van Eeden:
   De allerliefste poes
8. Pieter Feller:
   Daan de klikspaan
9. Geertje Gort:
   Een klodder heksenspuug
10. Els de Groen:
    Een lange, gekke reis
11. Corrie Hafkamp:
    Weg met die trollen
12. Veronica Hazelhoff:
    Een klein kreng
13. Ronni Hermans:
    Gratis voor niks
14. Frank Herzen:
    De meester is een dief
15. Henk Hokke:
    Een spannend verhaal
16. Lian de Kat:
    Een vreemd konijn
17. Lian de Kat:
    Schatrijk
18. Lian de Kat:
    Mijn vriendin, de koningin
19. Anton van der Kolk:
    Vreemde vogels
20. Leonie Kooiker:
    Wát zei het prinsesje?
21. Leonie Kooiker:
    Pas op voor de buurvrouw
22. Anke Kranendonk:
    Wat een verjaardag!
23. Rindert Kromhout:
    Rita Ramp
24. Paul van Loon:
    Bang voor vampiers?
25. Paul van Loon:
    De vampierclub
26. Paul van Loon:
    De meester is een vampier
27. Elle van Lieshout:
    Mama komt toch altijd terug?
28. Elle van Lieshout en
    Erik van Os:
    Een wc is toch wel handig
29. Erik van Os en
    Elle van Lieshout:
    Dom Dom Dom
30. Erik van Os en
    Elle van Lieshout:
    Een klap voor de grap
31. Ton van Reen:
    In de val
32. Lydia Rood:
    De papa-tijd
33. Marita de Sterck:
    Daar gaat mijn tak!
34. Dolf Verroen:
    Blijf zitten waar je zit
35. Dolf Verroen:
    Het gevonden kind
36. Jacques Vriens:
    Vieze Nol
37. Anke de Vries:
    Liegbeest
38. Truus van de Waarsenburg:
    Beer is onzichtbaar
39. Truus van de Waarsenburg:
    Meneer Lutje op mollenjacht
40. Jacques Weijters:
    Joost Jankgezicht